Einojuhani Rautavaara

"Suite" de Lorca
Lorca-sarja

for mixed chorus
sekakuorolle

52

Chorus
SARJA
SERIES

"Suite" de Lorca — *Lorca-sarja*

Canción de jinete — *Ratsulaulu*

Federíco García Lorca

Suom. Aale Tynni

EINOJUHANI RAUTAVAARA, 1973

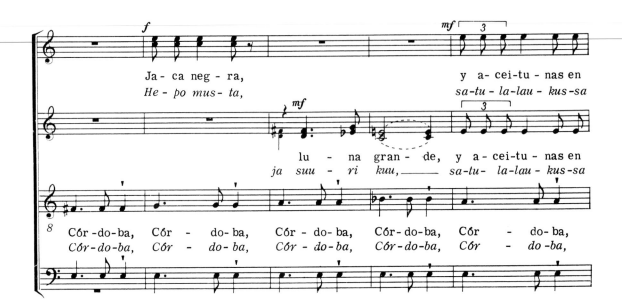

Ja - ca neg - ra, y a - cei-tu - nas en
He - po mus - ta, sa-tu- la-lau- kus-sa

lu - na gran - de, y a - cei-tu-nas en
ja suu - ri kuu,____ sa-tu- la-lau- kus-sa

Cór -do-ba, Cór - do-ba, Cór - do-ba, Cór-do-ba, Cór - do-ba,
Cór-do-ba, Cór - do-ba, Cór-do-ba, Cór-do-ba, Cór - do-ba,

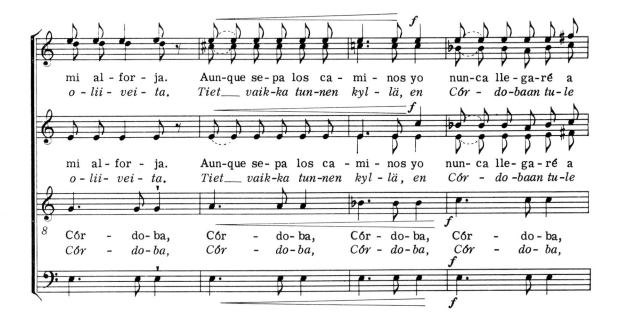

mi al-for - ja. Aun-que se-pa los ca - mi - nos yo nun-ca lle-ga-ré a
o - lii - vei - ta. Tiet__ vaik-ka tun-nen kyl - lä, en Cór - do-baan tu-le

mi al-for - ja. Aun-que se-pa los ca - mi - nos yo nun-ca lle-ga-ré a
o - lii - vei - ta. Tiet__ vaik-ka tun-nen kyl - lä, en Cór - do-baan tu-le

Cór - do-ba, Cór - do-ba, Cór - do-ba, Cór - do-ba,
Cór - do-ba, Cór - do-ba, Cór - do-ba, Cór - do-ba,

La muer - te me es-tá mi-ran-do des-de las tor-res de Cór - do - ba.
Cór - do-ban tor-neis-ta kat-soo kuo-le-ma mi-nu- a vas - taan.

La muer - te me es-tá mi-ran-do des-de las tor-res de Cór - do - ba.
Cór - do-ban tor - neis-ta kat-soo kuo-le-ma ni-nu- a vas - taan.

Cór - do - ba, Cór - do - ba, Cór - do -ba, Cór-do-ba,
Cór - do - ba, Cór - do -ba, Cór - do - ba, Cór-do-ba,

¡Ay mi ja - ca va - le - ro - sa!
Voi,___ roh-ke - a rat-su - ni!

Cór - do-ba, Cór - do - ba, Cór - do-ba, Cór - do - ba,
Cór - do-ba, Cór - do - ba, Cór-do-ba, Cór - do - ba,

Solo ¡Ay qué ca - mi-no tan lar-go!
Voi, mi-ten tie on___ pit-kä!

¡Ay qué la muer-te me es-pe-ra, an-tes de lle-gar a
Voi, et-tä kuo-le-ma var-too ja Cór-do-baan en

¡Ay qué la muer-te me es-pe-ra, an-tes de lle-gar a
Voi, et-tä kuo-le-ma var-too ja Cór-do-baan en

Cór-do-ba, Cór - do - ba, Cór - do - ba,
Cór-do-ba, Cór - do - ba, Cór - do - ba,

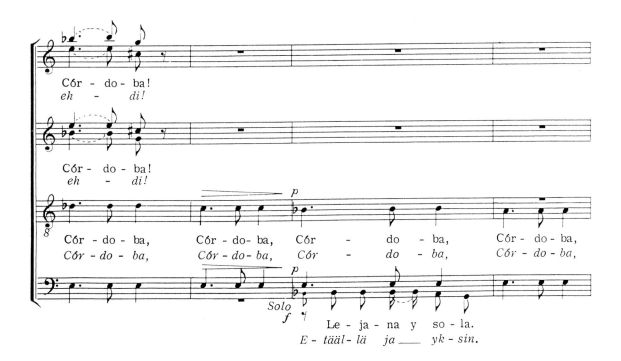

Cór - do - ba!
eh - di!

Cór - do - ba!
eh - di!

Cór-do-ba, Cór-do-ba, Cór - do - ba, Cór-do-ba,
Cór-do-ba, Cór-do-ba, Cór - do - ba, Cór-do-ba,

Le - ja - na y so - la.
E - tääl-lä ja yk - sin.

8

El Grito

Federíco García Lorca

Huuto

Suom. Aale Tynni

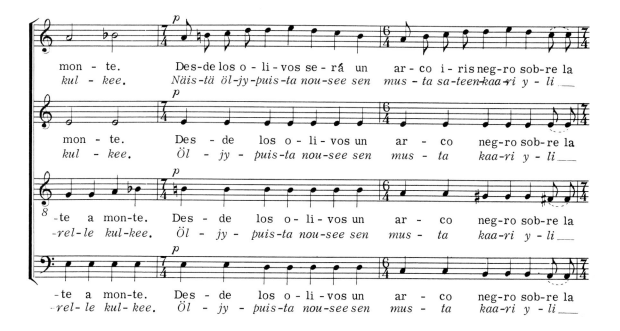

mon - te.   Des-de los o - li - vos se - rá un   ar - co i - ris neg-ro sob-re la
kul - kee.   *Näis-tä öl-jy-puis-ta nou-see sen   mus - ta sa-teen-kaa-ri y - li* ___

mon - te.   Des - de los o - li - vos un   ar - co   neg-ro sob-re la
kul - kee.   *Öl - jy - puis-ta nou-see sen   mus - ta   kaa-ri y - li* ___

-te a mon-te.   Des - de   los o - li - vos un   ar - co   neg-ro sob-re la
-rel-le kul-kee.   *Öl - jy - puis-ta nou-see sen   mus - ta   kaa-ri y - li* ___

-te a mon-te.   Des - de   los o - li - vos un   ar - co   neg-ro sob-re la
-rel-le kul- kee.   *Öl - jy - puis-ta nou-see sen   mus - ta   kaa-ri y - li* ___

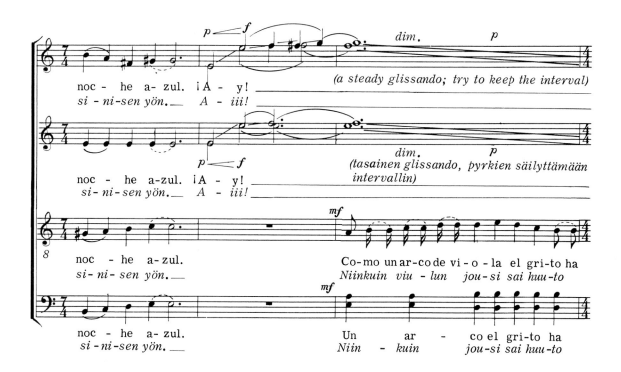

noc - he a - zul. ¡A - y! ___   (a steady glissando; try to keep the interval)
si - ni-sen yön. ___ *A - iii!* ___

noc - he a - zul. ¡A - y! ___   (tasainen glissando, pyrkien säilyttämään
si - ni-sen yön. ___ *A - iii!* ___   *intervallin)*

noc - he a - zul.   Co-mo un ar-co de vi - o - la el gri-to ha
si - ni-sen yön. ___   *Niinkuin viu - lun jou-si sai huu-to*

noc - he a- zul.   Un   ar - co el gri-to ha
si - ni-sen yön. ___   *Niin - kuin   jou-si sai huu-to*

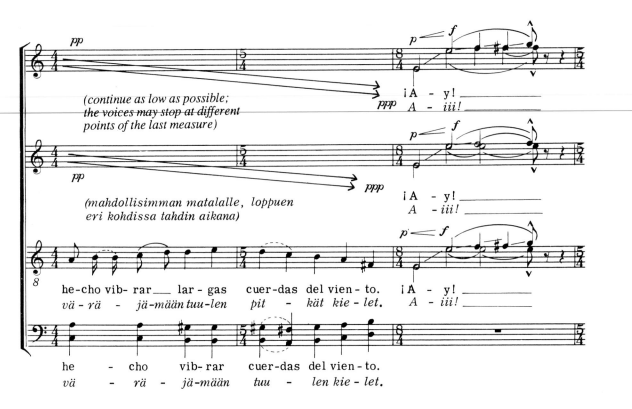

(continue as low as possible;
the voices may stop at different
points of the last measure)

¡A - y! ____
A - iii! ____

(mahdollisimman matalalle, loppuen
eri kohdissa tahdin aikana)

¡A - y! ____
A - iii! ____

he-cho vib- rar____ lar - gas   cuer-das del vien - to.   ¡A - y! ____
vä - rä - jä-mään tuu-len   pit - kät kie - let.   A - iii! ____

he - cho   vib- rar   cuer-das del vien - to.
vä - rä - jä-mään   tuu - len kie - let.

(Las gen- tes de las   cue - vas   a - so - man   sus____ ve -
(Ja   luo- lis-sa____   a - su - va   vä - ki u - los   kur - kot-taa

ve - - -
kur - - -

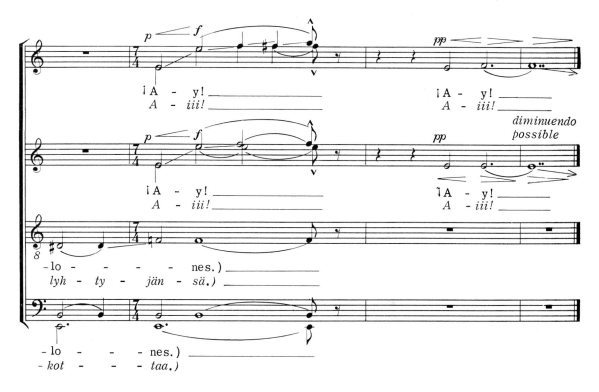

La luna asoma

Federíco García Lorca

Kuu nousee

Suom. Aale Tynni

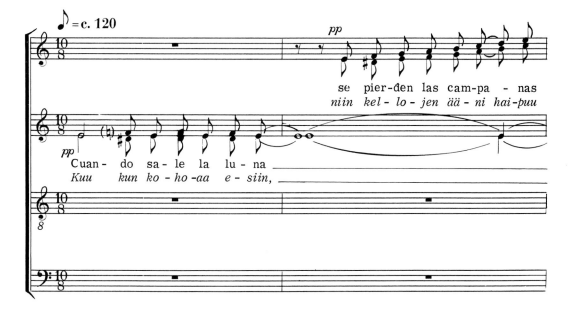

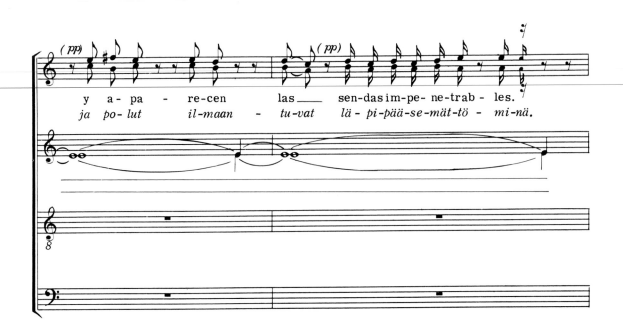

y a - pa - re-cen las___ sen-das im-pe- ne-trab - les.
ja po - lut il-maan - tu-vat lä - pi-pää-se-mät-tö - mi -nä.

Cuan - do sa - le la lu - na ___
Kuu kun ko - ho - aa e - siin, ___

el mar cub - re
maan ___ y - li

cub - re___ la tier - ra ___
y - li ___ me - ri ___ tul - vii ___

cub - re___
tul - vii ___

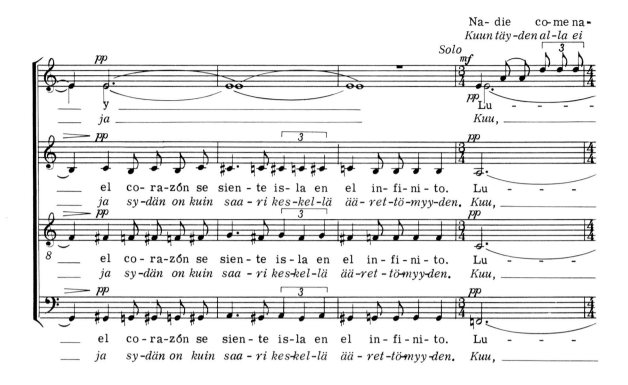

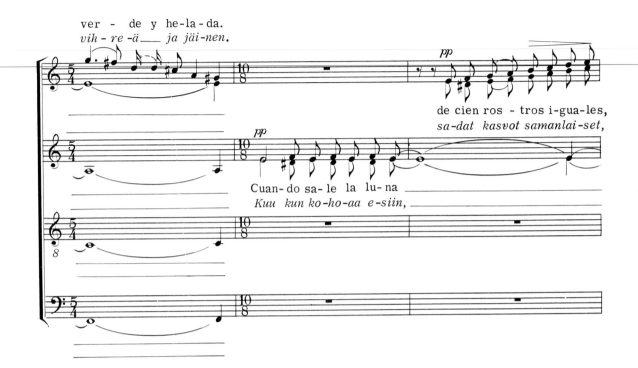

ver - de y he-la - da.
vih - re -ä____ ja jäi-nen.

de cien ros - tros i-gua-les,
sa-dat kasvot samanlai-set,

Cuan-do sa- le la lu-na ____
*Kuu kun ko-ho-aa e-siin,*____

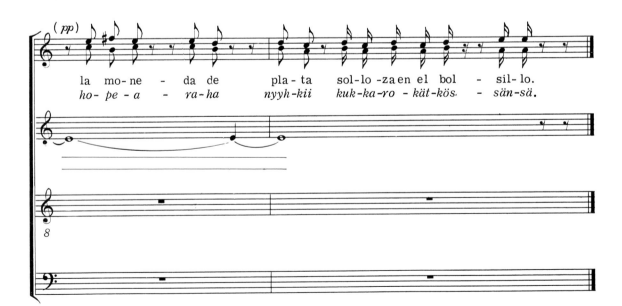

la mo- ne - da de pla-ta sol-lo-za en el bol - sil- lo.
ho- pe - a - ra- ha nyyh-kii kuk-ka-ro - kät-kös. - sän-sä.

Malagueña

Federico García Lorca

Malagueña

Suom. Aale Tynni

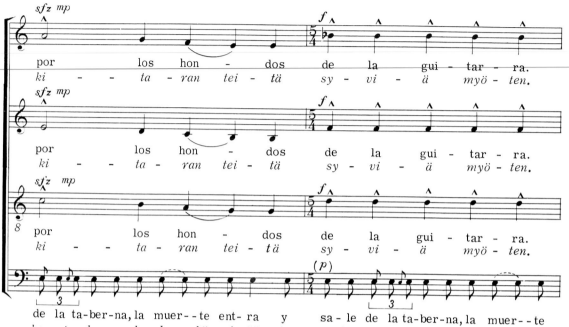

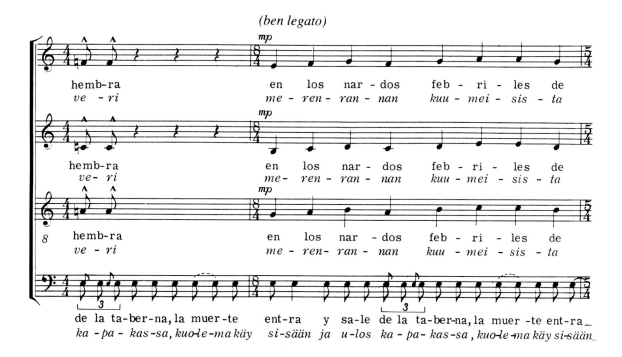

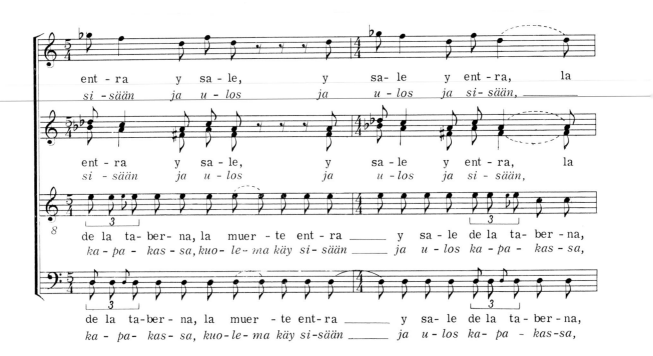

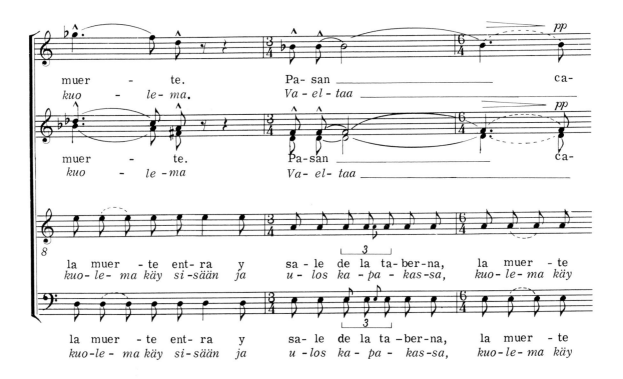

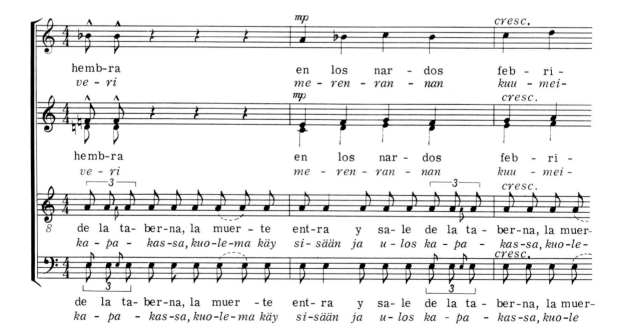

y   ent - ra   la   muer - te   de   la ta- ber-na.
ja   si - sään kuo - le - ma   ka - - pa - kas-sa.

- -te ent- ra   y sa- le , la muer - te   de la ta- ber-na, la ta - ber- na.
-ma käy si-sään ja   u -los, käy u- los ja   si-sään kuo-le-ma ka-pa- kas-sa

y   ent - ra   la   muer - te   de la ta- ber-na, la ta- ber-na.
ja   si - sään kuo - le - ma ,   si-sään kuo-le-ma ka-pa- kas-sa.

- -te ent- ra   y sa- le, la muer - te   de   la ta- ber- na.
-ma käy si-sään ja u -los, käy u- los ja   ka - - pa - kas-sa.

Chorus SERIES

Unless otherwise mentioned, all works are for mixed choir a cappella.

1. BENGT JOHANSSON:
THE TOMB AT AKR CAAR (Eng)
2. BENGT JOHANSSON:
DOVSÅNG (Sw)
3. EERO SIPILÄ:
MISERERE (Lat)
4. EINOJUHANI RAUTAVAARA:
EHTOOLLINEN / NATTVARDEN
(Fin/Sw)
5. EINOJUHANI RAUTAVAARA:
MISSA DUODECANONICA
for 4-part chorus (Lat)
6. JEAN SIBELIUS:
RAKASTAVA (Fin)
7. BENGT JOHANSSON:
FRÅN LYDDA TIDER
for choir, brass and timpani (Sw)
8. BENGT JOHANSSON:
VÄNRIKKI STOOL-SARJA
for choir, brass and timpani (Fin)
9. JOONAS KOKKONEN:
LAUDATIO DOMINI
for mixed choir and soprano (Lat)
10. BENGT JOHANSSON:
CANTICUM ZACHARIAE (Lat)
11. ERIK BERGMAN:
JESURUN for baritone, male choir and
instrumental ensemble (Sw)
12. BENGT JOHANSSON:
THREE CLASSIC MADRIGALS (Eng)
13. BENGT JOHANSSON:
LAUDA for baritone, 5-part choir and
organ (Fin)
14. JAAKKO LINJAMA:
MYRSKY (Fin)
15. ERKKI SALMENHAARA:
KUUN KASVOT / THE FACE OF THE
MOON (Fin/Eng)
16. BENGT JOHANSSON:
PATER NOSTER / ISÄ MEISSÄ choir
17. BENGT JOHANSSON:
GRADUALE FOR
TREFALDIGHETSSÖNDAGEN
for baritone, double mixed choir and
orchestra (Sw)
18. ERIK BERGMAN:
CANTICUM FENNICUM
for baritone, narrator, male choir and
orchestra (Fin/Sw)
19. BENGT JOHANSSON:
MISTERIENE (Fin)
20. BENGT JOHANSSON:
MINÄ KUNNIOITAN SINUA,
JUMALAN! for baritone, double
mixed choir and orchestra (Fin)
21. SULO SALONEN:
GUNNAR BJÖRLING-CYKEL (Sw)
22. ERIK BERGMAN:
ANNONSSIDAN for baritone,
soloists and male choir (Sw)
23. EINAR ENGLUND:
CHACONNE for mixed choir,
trombone and double bass (Lat)
24. ERIK BERGMAN:
NOX for baritone, mixed choir
and instruments (It/Ger/Fr/Eng)
25. BENGT JOHANSSON:
TWO EXTRACTS FROM THE SONGS
OF SOLOMON (Eng)
26. BENGT JOHANSSON:
MISSA A QUATTRO VOCI (Lat)

29. BENGT JOHANSSON:
CUM ESSEM PARVULUS
for 8-part choir (Lat)
30. SAKARI MONONEN:
VUOHELA-SARJA (Fin)
31. ERIK BERGMAN:
MYÖSNAIN / AUCH SO (X)
32. BENGT JOHANSSON:
VENUS AND ADONIS (First
Encounter) (Eng)
33. AULIS SALLINEN:
SUITA GRAMMATICALE /
KIELIOPILLINEN SARJA
for children's choir and chamber
orchestra (Ger/Fr/Eng/Ru)
34. ERIK BERGMAN:
MIKSI ELÄ ÄRUM NICHT
for male choir and two soloists (X)
35. SULO SALONEN:
DE PROFUNDIS (Lat)
36. ERIK BERGMAN:
KAKSI KARJALASTA
KANSANLAULUA / ZWEI
KARELISCHE VOLKSLIEDER / TWO
KARELIAN FOLK-SONGS for male
chorus (Fin/Ger/Eng)
37. HARRI TUOMINEN:
KUKAISIN SAIN KULKEA (Fin)
38. ERIK BERGMAN:
LAMENTO-BURLETTA (X)
39. BENGT JOHANSSON:
VENUS AND ADONIS
(Second Encounter) (Eng)
40. SULO SALONEN:
MISSA CUM JUBILO for mixed choir,
organ and percussion (Lat)
41. ERIK BERGMAN:
TYTTÖSET / THE LASSES for mixed
choir and three soloists (Fin/Eng)
42. EINOJUHANI RAUTAVAARA:
MARJATTA (Fin)
43. HARRI TUOMINEN:
KULJESKELLEN (Fin)
44. BENGT JOHANSSON:
VENUS AND ADONIS (Third
Encounter) (Eng)
45. BENGT JOHANSSON:
VENUS AND ADONIS (Fourth
Encounter) (Eng)
46. BENGT JOHANSSON:
VENUS AND ADONIS (Epilogue)
(Eng)
47. JAAKKO LINJAMA:
KEVÄTLAULU MAAKYLÄSSÄ
for mixed choir and piano (Fin)
48. HARRI TUOMINEN:
KEVÄTSÄ ARTA / VÄINFÄLTISEN
KON LAVI LONCIN (X)
49. ERIK BERGMAN:
BON APPÉTIT for 6 plus baritone
and male choir (X)
50. EINAR ENGLUND:
HYMNUS SEPULCRALIS (Lat)
51. ERIK BERGMAN:
MINI ROS OCE FELIZ
for soloists and male choir (Sw)
52. EINOJUHANI RAUTAVAARA:
SUITE DE LORCA / LORCA-SARJA
53. EINOJUHANI RAUTAVAARA:
HAMMARSKJÖLD-FRAGMENT
for male choir (Eng)
54. KALEVI AHO:
TASIMA LAULU
for mixed choir (Fin)
55. JOUKO LINJAMA:
MIN DAG MIN KVÄL MIN NÄT
for male choir (Sw)
56. ERIK BERGMAN:
BIM BAM BUM
for reciter, tenor, male choir and
instrumental ensemble (Ger)
57. PEHR HENRIK NORDGREN:
MAAN KATSAMINEN (Fin)
58. JARMO SERMILÄ:
KÄLÄVÄ PELKASTI
for choir and male choir (Fin)
59. BENGT JOHANSSON:
A DOUBLE MADRIGAL
for mixed choir with tenor, soprano

62. ERIK BERGMAN:
DREAMS for children's choir and
full mixed choir (X)
63. EINOJUHANI RAUTAVAARA:
EXTEMESET / CHILDREN'S MASS
for children's voices and string
orchestra (Ger/Fr/Eng/Fin/Lat)
63. EINOJUHANI RAUTAVAARA:
LAPSIMESSU / CHILDREN'S MASS
orchestral score
64. ERIK BERGMAN:
GUDARNAS SPÅR for alto, baritone
and male choir (Sw)
65. KAJ-ERIK GUSTAFSSON:
SALVE REGINA
for male choir (Lat)
66a. MIKKO HEINIÖ:
DREI FINNISCHE VOLKSLIEDER /
KOLME KANSANLAULUA
1. Tuiki (Ger/Fin)
66b. MIKKO HEINIÖ:
DREI FINNISCHE VOLKSLIEDER /
KOLME KANSANLAULUA
2. Sommernacht / kesäyönä
(Ger/Fin)
66c. MIKKO HEINIÖ:
DREI FINNISCHE VOLKSLIEDER /
KOLME KANSANLAULUA
3. Pois, pisilmäni / Lellmäni
(Ger/Fin)
67. ERIK BERGMAN:
LILLA KA-SVIT
for baritone and male choir (Sw)
68. KAJ-ERIK GUSTAFSSON:
MISSA A CAPPELLA (Lat)
69. HEIKKI SARMANTO:
SERIES IN FINLAND
for male choir (Fin)
70. KAJ-ERIK GUSTAFSSON:
KAKSE MERILAULA
for male choir (Fin)
71. EERO SIPILÄ:
TOI MOI / LORD (Sw)
72. BENGT JOHANSSON:
TRIPTYSI (Lat)
73. KAJ-ERIK GUSTAFSSON:
TE DEUM
for female choir, soprano solo or two
female choirs (soprano and alto) (Lat)
74. KAJ-ERIK GUSTAFSSON:
MISSA A CAPPELLA
for male choir (Lat)
75. KAJ-ERIK GUSTAFSSON:
MAGNIFICAT (Lat)
76. ERIK BERGMAN:
FOUR VOCALISES for mixed
choir, solo and male voice (X)
77. JOUKO LINJAMA:
HYVÄÄ YÖTÄ (Fin)
78. ERIK BERGMAN:
LORELEIA for baritone, reciter and
male choir (Fin)
79. EINOJUHANI RAUTAVAARA:
SUITE DE LORCA / LORCA-SARJA
for children's choir (Sw/Fin)
80. ERIK BERGMAN:
ORS I MAA
for tenor and male choir (Sw)
81. EINOJUHANI RAUTAVAARA:
NIRVANA BLEARM for soprano
and mixed choir (Fin)
82. ERIK BERGMAN:
REGN (X)
83. TIMO JUHANI KYLLÖNEN:
QUILIC-PAT / CHKO MIXTO (X)
84. ERIK BERGMAN:
LINGDOMEDROM
for male choir (Sw)
85. PEKKA KOSTIAINEN:
MISSA IN DEO SALUTARE MEUM
(Lat)

86. EINOJUHANI RAUTAVAARA:
KAKSI LAULUA VIGILIASTA / TWO
SONGS FROM THE VIGIL
(Fin/Eng)
87. ERIK BERGMAN:
for baritone and male choir (Fin)
88. ERIK BERGMAN:
STRATMATIK (Fin)
89. PAAVO HEININEN:
THE AUTUMNS (Eng)
90. PAAVO HEININEN:
COR MEUM (Fin/By/Eng/Ge)
91. EERO SIPILÄ:
SUPER FLUMINA BABYLONIS (Lat)
92. HARRI VILTANEN:
KULTA AURINKO (Fin)
93. EINOJUHANI RAUTAVAARA:
MAGNIFICAT (Lat)
94. ERIK BERGMAN:
JE PARLE À SUI
for baritone and mixed choir (It)
95. EINOJUHANI RAUTAVAARA:
CREDO (Lat)
96. EINOJUHANI RAUTAVAARA:
THE FIRST RUNO
for soprano and alto voices (Eng)
97. ERIK BERGMAN:
NEIN ZUR LEBENSANGST
for speaker and mixed choir (Ger)
98. ERIK BERGMAN:
TRILOGIA
for two choirs, sopranos, alto and
children's choir (It)
99. EERO SIPILÄ:
HIMMEL OCH JORD SKOLA
FORGÅSS (Sw)
100. MIKKO HEINIÖ:
LUCE (Lat)
101. VELI-MATTI PUUMALA:
NEVER AGAIN (Eng)
102. JOONAS KOKKONEN:
MISSA A CAPPELLA (Lat)
103. EINOJUHANI RAUTAVAARA:
OCH GLADJEN DEN DANSAR WITH
JOY WE GO DANCING (Sw/Eng)
104. EINOJUHANI RAUTAVAARA:
DE FESTE / FEEST (Ger)
105. EINOJUHANI RAUTAVAARA:
CANCION / CANTUS SIBONEIMO
/ DEN AULI SYNTHI
106. MIKKO HEINIÖ:
MARBORG (complex) (Sw)
107. EERO HÄMEENNIEMI:
MATROVANEI for male choir (X)
108. JOONAS KOKKONEN:
SORMIN SOLTTU / ALA-AMONEN
for male choir (Fin)
109. EINOJUHANI RAUTAVAARA:
A HEDLEY LEY / THE CATHEDRAL
(Sw/Eng)
110. ERIK BERGMAN:
HOMMAGE A BÉLA BARTÓK
for mixed choir (X)
111. EINOJUHANI RAUTAVAARA:
WENN SICH DIE WELT AUFTUT
for female choir (Ger)
112. KALEVI AHO:
113. EINOJUHANI RAUTAVAARA:
114. JAAKKO MÄNTYJÄRVI:
SHADE OF THE LIME (Sw/Eng)
115. MIKKO HEINIÖ: NOX (X)
116. OLLI KORTEKANGAS:
ROMANCES (Fin)
117. OLLI KORTEKANGAS:
PSALMI MUU LIKSIA (Fin)

FENNICA GEHRMAN
KL 78.341
ISMN 979-0-55009-176-4